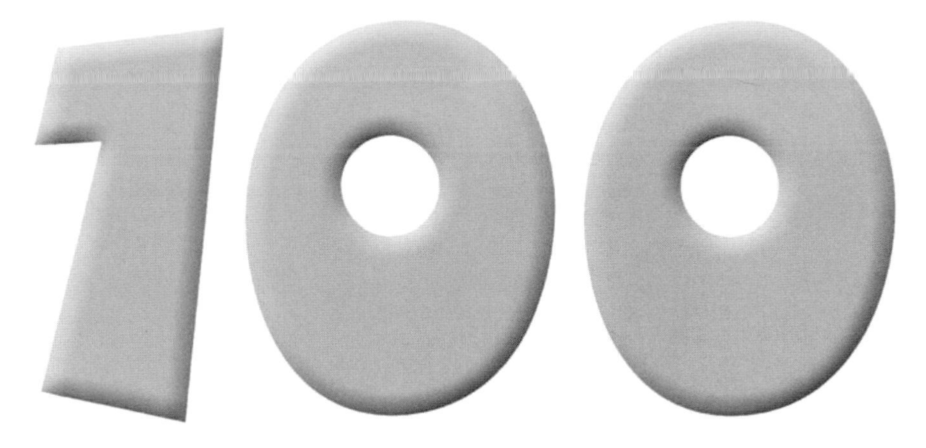

100 cosas que debes saber sobre EXPLORADORES

Dan North

Consultora: Fiona Macdonald

Club de Lectores

Esta edición en lengua española fue realizada a partir del original
de Miles Kelly Publishing, Ltd., por Signo Editorial, S.A. de C.V.
Blvd. Manuel Ávila Camacho No. 1994-703, San Lucas Tepetlacalco,
Tlalnepantla, Estado de México, C.P. 54055, México
Tel. 53 98 14 97
club@clublectores.com

ISBN: 968-5938-49-0 Colección: 100 cosas que debes saber sobre...
ISBN: 970-784-060-9 *100 cosas que debes saber sobre exploradores*

Traducción al español: Héctor Escalona en colaboración con
Correo del Maestro y Ediciones La Vasija.
Cuidado de la edición: Correo del Maestro y Ediciones La Vasija.

Título original: *100 things you should know about explorers*
Autor: Dan North

Agradecimientos
Los editores quieren agradecer a los siguientes artistas por su contribución a este libro: Peter Dennis, Mike Foster, Terry Gabbey, Richard Hook, John James, Janos Marffy, Mike Saunders, Gwen Tourret, Mike White, y caricaturas de Mark Davis para Mackerel.

Este libro se terminó de imprimir y encuadernar en Pressur Corporation, S.A, C. Suiza, R.O.U., en el mes de febrero de 2007. Se imprimieron 5000 ejemplares.

North, Dan.
Exploradores / Dan North ; tr. Héctor Escalona.
-- México : Signo Editorial, 2007.
48 p. : il. col. ; 24 cm. -- (Colección 100 cosas que debes saber sobre...) (Club de lectores)
Traducción de: 100 things you should know about explorers

ISBN 970-784-060-9

1. Exploradores – Miscelánea. 2. Aventuras y aventureros - Miscelánea. I. Escalona, Héctor, tr. II. t. III. Serie

910.9 DAN.e.. Biblioteca Nacional de México

100

cosas que debes saber sobre

EXPLORADORES

Contenido

Los primeros exploradores

1 Se han hecho exploraciones desde los albores de la humanidad. Se cree que los primeros seres humanos vivieron en África hace unos 2 millones de años y luego se dispersaron por todo el mundo. Probablemente, la gente emprendía exploraciones en busca de alimento y lugares para vivir. Hace miles de años, los mares eran menos profundos, y muchos sitios que hoy están sumergidos eran tierra seca. Se podía caminar de Europa a Gran Bretaña y de Asia a Norteamérica. Hace unos 10 000 años, los seres humanos ya se habían asentado por todo el mundo.

OCÉANO ÁRTICO

AMÉRICA DEL NORTE

AMÉRICA DEL SUR

OCÉANO ATLÁNTICO

▲ Algunos pueblos nativos de partes de América del Norte todavía elaboran tótems, como lo han hecho durante miles de años.

► Algunos habitantes de la selva tropical amazónica de América del Sur todavía utilizan cerbatanas como ésta para cazar animales, como lo hicieron sus antepasados hace miles de años.

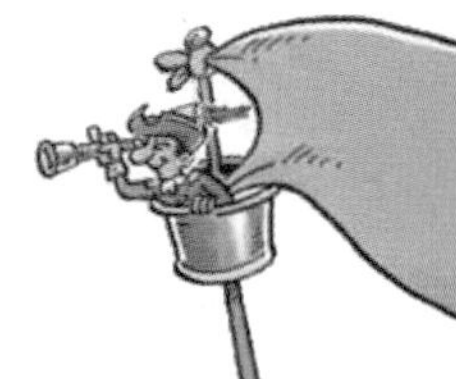

Para hallar el camino, los primeros exploradores dependían de observaciones de la Luna y las estrellas, y no podían alejarse demasiado de tierra.

OCÉANO ÁRTICO

▼ Hace unos 100 000 años, los primeros humanos modernos llegaron a China, en Asia.

◀ Los primeros colonizadores de la Europa de la Edad de Hielo cazaban enormes mamuts lanudos para aprovechar su carne, piel y marfil.

ASIA

EUROPA

▶ Los primeros colonizadores de las islas del Pacífico utilizaban canoas para pescar y trasladarse; aún hoy las siguen empleando.

OCÉANO PACÍFICO

ÁFRICA

Islas del Pacífico

◀ Calavera de un animal parecido a un ser humano, llamado australopiteco, que vivió en África hace unos 3 millones de años.

OCÉANO ÍNDICO

OCEANÍA

◀ Los primeros habitantes de Australia, en Oceanía, pintaban imágenes en las rocas usando pinturas elaboradas con arcilla y carbón; esta tradición persiste hasta nuestros días.

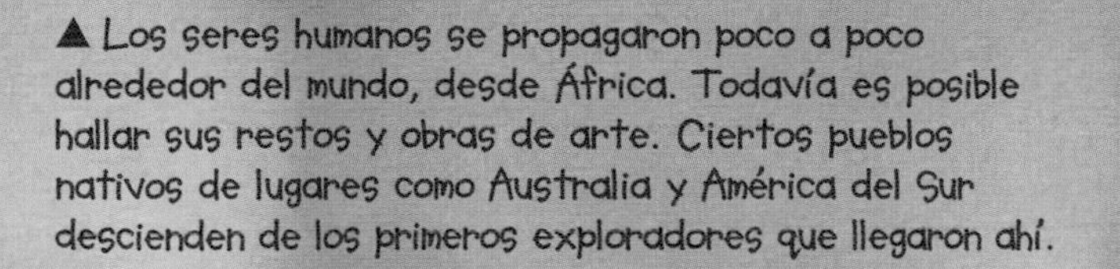

▲ Los seres humanos se propagaron poco a poco alrededor del mundo, desde África. Todavía es posible hallar sus restos y obras de arte. Ciertos pueblos nativos de lugares como Australia y América del Sur descienden de los primeros exploradores que llegaron ahí.

Aventureros de la antigüedad

2 Los antiguos egipcios y griegos eran extraordinarios exploradores que construían embarcaciones para navegar en los océanos. Sus reyes y reinas tenían el dinero suficiente para pagar grandes viajes de exploración. Enviaban a exploradores a buscar nuevas tierras, encontrar tesoros y conocer gente de otras partes del mundo.

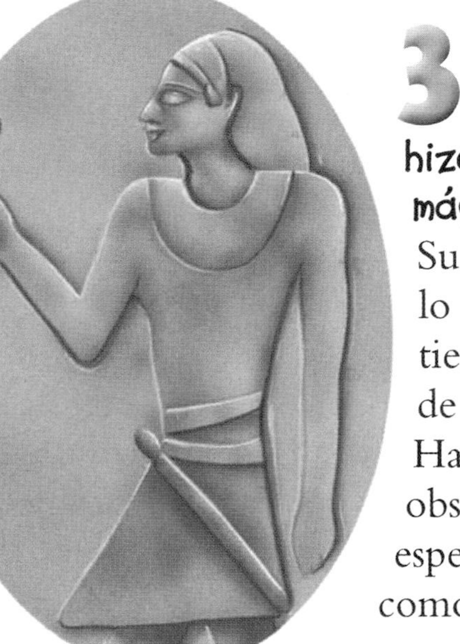

◀ Antiguo grabado egipcio de Harjuf.

3 Harjuf de Egipto hizo exploraciones hace más de 4000 años. Su rey, el faraón Merenre, lo envió a explorar la tierra de Yam (hoy parte de Sudán, en África). Harjuf trajo de regreso obsequios de marfil, especias y animales salvajes, como leopardos.

4 La reina egipcia Hatshepsut envió exploradores en busca de una tierra mágica de la que había oído hablar. Se decía que esta tierra, llamada Punt, estaba llena de tesoros y hermosos animales. Tal vez era parte de lo que hoy es Somalia, en África. Los exploradores trajeron de regreso oro, marfil, monos, perfumes, resinas y aceites especiales con los que los egipcios hacían maquillaje.

Los antiguos egipcios pensaban que el mundo era plano y rectangular, ¡y que el mar daba la vuelta sobre el borde!

▼ Para viajar distancias largas, los fenicios utilizaban barcos que tenían tanto velas como remos.

5 En la antigüedad, los mejores marineros de todos eran los fenicios. Provenían de lo que hoy es Siria y Líbano, y navegaban por todo el mar Mediterráneo. En 600 a.C., un rey egipcio, el faraón Neco II, pidió a una tripulación de fenicios que intentara navegar alrededor de todo África. El viaje les tomó tres años. Hubieron de pasar 2000 años para que alguien más navegara otra vez alrededor de África. Los fenicios usaban las estrellas para guiarse.

6 Piteas fue un griego que exploró el helado norte entre 380 y 310 a.C. Salió en su barco del mar Mediterráneo, pasó por España y Gran Bretaña, y descubrió una tierra fría a la que llamó Tule. Ésta pudo haber sido Islandia o parte de Noruega. Piteas fue el primer griego en ver icebergs, la aurora boreal y el sol brillando a la medianoche. Sin embargo, cuando regresó a Grecia pocos creyeron sus relatos.

◀ Hatshepsut se quedó en casa atendiendo sus deberes de reina, en tanto sus marineros partían en busca de Punt.

¡INCREÍBLE!
Cuando navegó cerca de Escocia, Piteas se sorprendió al ver peces del tamaño de barcos. De hecho, no eran realmente peces, ¡eran ballenas!

Marco Polo

7 Marco Polo es uno de los exploradores más famosos de todos los tiempos. Marco vivió en Venecia en el siglo XIII y viajó a Asia en una época en que muy pocos europeos se aventuraban lejos de su aldea natal. En total, recorrió más de 40 000 kilómetros.

◄ Cuando Marco Polo visitó tierras del Lejano Oriente, como China, casi ningún europeo había estado ahí jamás.

◄ Este mapa muestra la ruta de Marco Polo por Asia. El viaje de regreso tomó tres años.

Venecia
China
India
OCÉANO ÍNDICO

8 Marco Polo comenzó a explorar cuando apenas tenía 17 años. Su padre y su tío eran comerciantes que viajaban al Lejano Oriente por cuestiones de negocios. Cuando Marco tuvo la edad suficiente, lo llevaron con ellos. En 1271, los tres partieron rumbo a China.

9 En China, los Polo se hospedaron con un poderoso emperador llamado Kublai Kan. Éste tenía enormes palacios, habitaciones llenas de tesoros y muchas esposas y servidores. Kublai Kan encargó a Marco Polo la tarea de viajar por todas sus tierras para traerle noticias. Marco recorrió toda China y el sudeste asiático.

De camino a China, Marco Polo cruzó el vasto y vacío desierto de Lop, hoy conocido como desierto de Gobi.

▲ Carbón mineral, fuegos artificiales, anteojos, helado, pasta y papel moneda fueron algunas de las cosas que Marco vio por primera vez en sus viajes.

10

En sus viajes por Asia, Marco Polo descubrió todo tipo de inventos asombrosos. Vio por primera vez fuegos artificiales, carbón mineral, papel moneda, pasta, helado y anteojos. También le impresionó saber que los Chinos tenían un sistema de correos y que podían enviarse cartas unos a otros.

11

Al cabo de 20 años de ausencia, los Polo ya querían regresar a casa. Navegaron una gran parte del trayecto en un junco: un velero chino. Más de 600 pasajeros y tripulantes murieron a causa de enfermedades en el camino, pero los Polo llegaron a salvo a Venecia en 1295.

12

Tiempo después hubo una guerra en Italia y Marco Polo fue apresado. Terminó compartiendo una celda con un escritor, a quien le contó la historia de su vida. El escritor puso en papel los relatos de viajes de Marco para hacer un libro llamado *Los viajes de Marco Polo*, ¡todo un éxito editorial!

¿VERDADERO O FALSO?

1. En Indonesia, Marco halló seres humanos con cola.
2. Un junco es un tipo de carruaje.
3. A Cristóbal Colón le gustaba mucho leer el libro de Marco Polo.
4. Marco conoció la pizza en China.

Respuestas:

1. FALSO. En su libro, Marco afirma que existen hombres con cola, pero nunca los vio. Ahora sabemos que era sólo un "cuento chino".
2. FALSO. Es un tipo de barco.
3. VERDADERO. Leer a Marco Polo inspiró a Colón para hacerse explorador.
4. FALSO. Descubrió la pasta, no la pizza.

Ibn Batuta

13 Ibn Batuta se hizo explorador a causa de un sueño. En 1325, Batuta estaba de visita en La Meca, la ciudad santa musulmana. Allí soñó que un ave gigantesca lo recogía y se lo llevaba. Pensó que el sueño era un mensaje de Dios, que le pedía dedicarse a explorar. Como era musulmán, decidió visitar todos los países musulmanes del mundo.

14 Ibn Batuta comenzó a viajar, ¡y siguió haciéndolo durante 30 años! Visitó más de 40 países, entre ellos los que hoy conocemos como Kenia, Irán, Turquía, India y China. Conforme a su proyecto, visitó todas las tierras musulmanas que existían entonces. En total, recorrió más de 120 000 kilómetros.

▶ El sultán de la India, Mohamed Tuglug, era violento y cruel.

15 Ibn Batuta permaneció en la India siete años, trabajando para el sultán. Su tarea era ser juez, decidía si las personas acusadas de delitos eran inocentes o culpables. Batuta temía al sultán, que era cruel. Si alguien no estaba de acuerdo con él, lo mandaba hervir, decapitar o desollar vivo. En una ocasión estuvo a punto de decapitar a Batuta por ser amigo de un hombre que no le agradaba.

Cuando Batuta partió a recorrer el mundo, tenía apenas 20 años. ¡No volvió a casa hasta que tenía 47!

▼ Ibn Batuta comenzó sus viajes después de soñar que partía hacia el oriente llevado por un ave gigante.

16 Ibn Batuta tuvo suerte de terminar sus viajes con vida.

Durante su expedición, Batuta fue atacado por ladrones en la India, hecho prisionero en las Maldivas y perseguido por piratas en Sri Lanka; además, naufragó varias veces. Al término de su viaje, vio personas infectadas de peste bubónica, una enfermedad terrible y mortífera. Por fortuna, Batuta pudo evitar el contagio.

17 Finalmente, Ibn Batuta regresó a Marruecos, que era su patria.

Cuando el sultán oyó hablar de sus aventuras, pidió a Batuta que las escribiera para él. Batuta, sin embargo, no escribió todo personalmente, sino que contó su historia a un escriba, quien lo puso por escrito en su lugar. El libro terminado se llamó *Rihala*, que significa "los viajes".

¡INCREÍBLE!

Batuta contrajo matrimonio en muchos de los lugares que visitó. Tuvo varias esposas e hijos en distintas partes del mundo.

Exploradores chinos

EUROPA
ASIA
Ruta de la Seda
China
OCÉANO ÍNDICO

▲ La Ruta de la Seda cruzaba todo Asia, desde Europa hasta China.

18 Algunos de los exploradores más grandes de la historia procedían de China. El primero fue un soldado, Zhang Qian, que vivió en el 114 a.C. El emperador chino lo envió a buscar a la tribu de los yueh-chih, de quienes pensaba podrían ayudarle a combatir a sus enemigos, los hunos. Durante el viaje, los hunos capturaron a Zhang Qian y lo encerraron en prisión por diez años. Cuando finalmente pudo escapar y halló a los yueh-chih, ¡éstos dijeron que no querían ayudar!

19 Al explorador Xuan-Zang se le prohibió ir a explorar, pero de todos modos fue. El emperador chino quería que trabajara en un templo, pero Xuan-Zang quería ir a la India a aprender sobre su religión, el budismo. En el año 629, salió a escondidas de China y siguió la Ruta de la Seda hasta Afganistán. Luego fue hacia el sur, hasta la India. Xuan-Zang regresó al cabo de 16 años con una colección de libros sagrados y estatuas budistas. El emperador quedó tan complacido que lo perdonó y le dio una bienvenida de reyes.

La seda era preciosa porque sólo los chinos conocían el secreto de cómo se hacía.

HAZ UNA BRÚJULA

En sus viajes, Zheng He utilizaba una brújula para orientarse.

Necesitas:

un imán · agua · un tazón grande · un pedazo de madera · una brújula

1. Llena a la mitad, con agua, el tazón.
2. Coloca la madera, con el imán encima, en el agua; asegúrate de que no toque los lados.
3. Cuando la madera quede inmóvil, el imán apuntará hacia los polos Norte y Sur.

Si quieres, puedes comprobar la posición con una brújula de verdad.

20

Para el siglo XV, los chinos ya exploraban el mundo. Su mejor explorador era un marino llamado Zheng He, quien utilizó enormes juncos para cruzar el océano Índico hasta África. Dondequiera que iba, Zheng He reunía toda clase de piedras preciosas, plantas y animales para llevarlos de regreso a China y mostrarlos al emperador. El presente que más agradó a éste fue una jirafa de África oriental.

◀ El emperador chino quedó fascinado cuando Zheng le obsequió una jirafa viva.

◀ Un junco era un velero gigante chino, más grande que cualquier otro barco construido en esa época.

21

Los juncos de Zheng He eran los barcos de vela más grandes de la Tierra. El más grande tenía 130 metros de largo y 60 de ancho. En una expedición típica, Zheng He llevaba 400 barcos y más de mil tripulantes, además de médicos, cartógrafos, escritores, herreros y jardineros. Estos últimos cultivaban frutas y verduras en macetas en las cubiertas, a fin de que hubiera alimento en abundancia para todos.

Navegar alrededor de África

▼ Hoy en día las especias son baratas, pero en la Edad Media valían su peso en oro, ¡por lo menos!

22 En la Europa del siglo XV, la gente adoraba las especias. Usaban semillas y hojas de sabor intenso para condimentar los alimentos y elaborar medicinas. La nuez moscada, el clavo, el jengibre y la pimienta venían de países asiáticos, como la India. Había que transportar las especias a través de Asia y Europa, lo que tomaba mucho tiempo. Los europeos querían hallar una forma de navegar de Europa a Asia para facilitar el viaje.

Jengibre

Nuez moscada

Macís

23 La mejor forma de navegar a Asia era alrededor de África. Pero nadie sabía cómo. Un príncipe portugués llamado Enrique (1394-1460) fundó una escuela de navegación para capacitar a marinos en esa tarea y comenzó a enviar barcos en torno a la costa de África. Al principio, los marinos tenían miedo de alejarse demasiado porque pensaban que el océano Atlántico era muy tormentoso y peligroso. Pero poco a poco navegaron cada vez más lejos.

¡INCREÍBLE!

Los marineros tenían miedo de navegar alrededor de África porque un mito afirmaba que si te alejabas demasiado hacia el sur en el océano Atlántico, el sol te quemaría hasta convertirte en cenizas.

◄ Enrique el Navegante nunca exploró él mismo. Solamente organizaba expediciones y pagaba a los marineros por ir en ellas.

A lo largo de sus viajes, los portugueses erigían pilares de piedra con cruces cristianas encima para señalar su avance.

24 **En 1488, un capitán llamado Bartolomé Dias navegó alrededor del extremo más lejano de África hasta el océano Índico.** El viaje fue muy difícil, y por esta razón Dias dio a la punta sur de África el nombre de Cabo de las Tormentas. Se le cambió el nombre a Cabo de Buena Esperanza para que los marineros pensaran que no era peligroso.

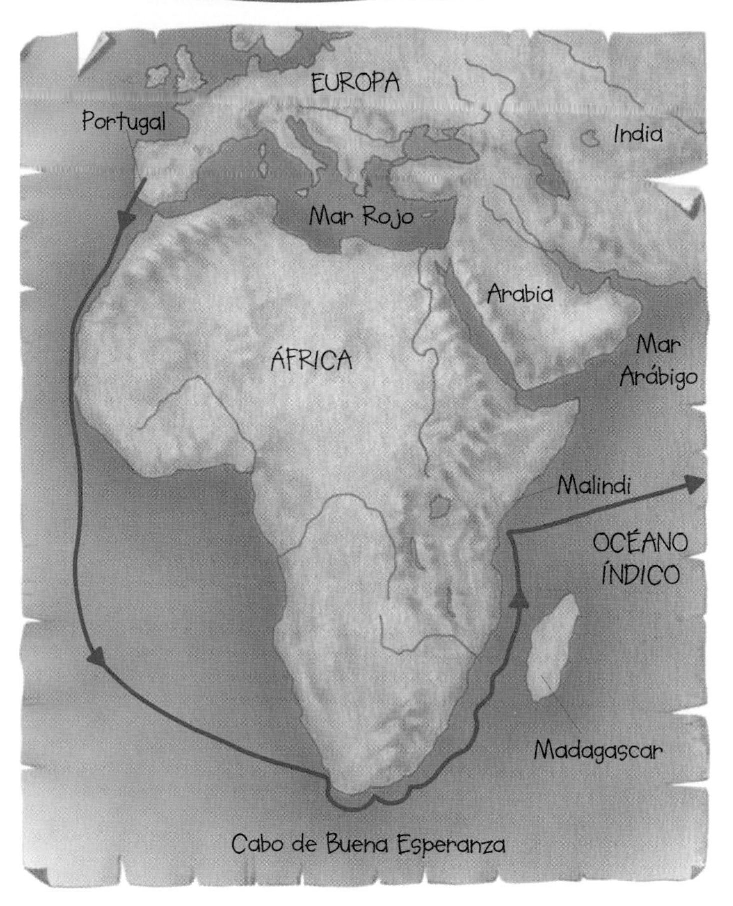

▲ Da Gama navegó desde Portugal, alrededor del extremo sur de África y a lo largo de la costa oriental, antes de cruzar el océano Índico hasta la India.

25 **Por fin, en 1497, un marinero portugués navegó alrededor de la costa de África.** Su nombre era Vasco da Gama. Tras navegar alrededor del Cabo de Buena Esperanza, Da Gama recorrió la costa oriental de África hasta Malindi. Desde ahí cruzó el océano Índico hasta Calicut, en la India. En ese lugar esperaba comprar especias, pero el rajá, el gobernante de Calicut, dijo a Da Gama que tendría que volver con un poco de oro. Da Gama regresó a su país con las manos vacías, pero el rey de Portugal estaba muy satisfecho. Se había hallado la ruta a Asia, y de ahí en adelante muchos comerciantes la utilizaron.

◀ Además de ser capitán de navío, Vasco da Gama era un rico noble, como lo indica su elegante vestimenta.

Descubrimiento de América

26 Muchos piensan que Cristóbal Colón descubrió América, pero no fue así. Los vikingos fueron los primeros en navegar hasta allá, por el año 1000. Encontraron una tierra con árboles, peces y bayas en abundancia, y la llamaron Vinland. No se quedaron mucho tiempo. Volvieron a su patria después de pelearse con los indígenas. Después, muchos olvidaron la existencia de Vinland.

▶ La *Santa María* era el barco principal de la flota de Colón. Medía alrededor de 23 metros de largo y tenía tres mástiles y cinco velas.

27 Casi 500 años después, Cristóbal Colón encontró América, ¡por equivocación! Colón se hizo a la mar desde España en 1492, con tres barcos llamados la *Niña*, la *Pinta* y la *Santa María*. Colón no iba en busca de tierras nuevas. Lo que se proponía era navegar alrededor de la Tierra para hallar una nueva ruta a Asia, donde pensaba adquirir especias. Aunque era italiano, fue la reina Isabel de España quien le dio dinero para el viaje.

Colón nunca dejó de pensar que había encontrado una parte de Asia, y murió en 1506 negándose todavía a aceptar la existencia del Nuevo Mundo.

28 Cuando Colón encontró tierra, estaba seguro de haber llegado a Japón. En realidad, Colón había hallado las Bahamas, que están cerca del continente americano.

29 A su regreso a España, nadie creyó lo que Colón contaba. Sabían que no podía haber llegado a China en tan poco tiempo. En cambio, comprendieron que seguramente había hallado un país nuevo. La gente llamó al nuevo lugar el Nuevo Mundo, y muchos otros exploradores partieron de inmediato para verlo ellos mismos.

▲ Colón y dos de sus hombres desembarcan en las Bahamas, donde los habitantes del lugar los saludan.

30 América no se llamó así por Colón. En su lugar, recibió ese nombre en honor a otro famoso explorador, Amerigo Vespucci, o Américo Vespucio. En 1507, un cartógrafo puso el nombre de Amerigo en un mapa del Nuevo Mundo y lo cambió de Amerigo a América. El nombre tuvo éxito.

31 Se debe a Colón que a los indígenas americanos se les conociera como indios. Como pensó que estaba en Asia, Colón llamó a las tierras que encontró las Indias Occidentales, y a las personas que vio las llamó indios. Todavía se les da ese nombre hoy en día, no obstante que América está muy lejos de la India.

Los conquistadores

32 La palabra "conquistador" significa ganador. Los conquistadores españoles eran soldados y nobles del siglo XVI. Después de que Cristóbal Colón descubriera América en 1492, los conquistadores partieron a explorar el nuevo continente. Muchos de ellos querían enriquecerse apoderándose de todas las tierras, oro y joyas que pudieran hallar en América.

▲ Los aztecas solían utilizar la piedra preciosa turquesa en sus objetos de arte. Esta máscara está cubierta de diminutos mosaicos de turquesa.

◀ Leoncico, el perro de Balboa, iba siempre al lado de su amo cuando éste caminaba a través de la selva.

33 Vasco Núñez de Balboa fue uno de los primeros conquistadores. Navegó hacia América en 1500 en busca de tesoros. En 1513, marchó a través de la selva con su perro, Leoncico, y un ejército de soldados. Fue el primer europeo en cruzar América y ver el océano Pacífico al otro lado. Balboa quería tanto a su perro, que le pagaba un sueldo como a los soldados. Pero como casi todos los conquistadores, Balboa también podía ser cruel: mató a mucha gente del país y les robó su oro.

Los habitantes de América Central y del Sur siguen hablando español gracias a los triunfos de los conquistadores.

34 Hernán Cortés fue un conquistador muy astuto. En 1519 llegó a lo que hoy es México para conquistar al pueblo azteca, el cual dominaba la región. Cuando llegó a la ciudad de Tenochtitlan, la gente pensó que era un dios. Cortés capturó al emperador, Moctezuma, y tomó la ciudad. Moctezuma fue asesinado por su propio pueblo. Así, luego de muchas batallas, Cortés tomó control del Imperio Azteca.

CUESTIONARIO

1. ¿Cómo se llamaba el perro de Vasco Núñez de Balboa?
2. ¿Qué hacían los aztecas para complacer a sus dioses?
3. ¿Qué ofreció el rey inca a Pizarro a cambio de su libertad?

Respuestas:
1. Leoncico. 2. Sacrificios humanos.
3. Una habitación llena de oro.

▼ Los españoles se enfrentaron a los aztecas en encarnizadas batallas, y al final triunfaron principalmente porque tenían armas de fuego y los aztecas no.

35 Para conquistar a los incas de Perú, Francisco Pizarro, otro explorador, hizo una canallada. En 1532 capturó a Atahualpa, el jefe de los incas. Éste dijo que si Pizarro lo dejaba en libertad, le daría una habitación llena hasta el techo de oro. Pizarro aceptó, pero una vez que Atahualpa le entregó el oro, lo mató de todos modos. Después se apoderó de Cusco, la capital de los incas. Esta ciudad estaba en lo alto de las montañas y eso no le gustó a Pizarro. Así que fundó una nueva capital en Lima. Hoy en día, Lima es la capital de Perú.

Alrededor del mundo

▶ Fernando de Magallanes era un hombre muy inteligente, muy bueno para las matemáticas y las ciencias. Estas destrezas lo ayudaron en su exploración.

36 Al comenzar el siglo XVI, nadie había navegado alrededor del mundo. El portugués Fernando de Magallanes quería navegar más allá de América del Sur y cruzar el océano Pacífico. Es posible que, como Colón antes que él, Magallanes haya pensado que por ese camino podía llegar a Asia, donde adquiriría especias. Después navegaría de regreso a su patria pasando por la India y África: un viaje alrededor del mundo.

▲ Magallanes partió de España en su viaje alrededor del mundo. La X indica el punto donde Magallanes murió.

37 Magallanes se disgustó con el rey de Portugal, pero el rey de España aceptó ayudarlo. El rey pagó por seis barcos y Magallanes partió en 1519. Navegó rumbo al sur siguiendo la costa de América del Sur, hasta encontrar un paso al océano Pacífico. Durante el trayecto a través del Pacífico, gran parte de la tripulación murió de una enfermedad llamada escorbuto, producida por no comer suficientes frutas y verduras.

Francis Drake compró seis toneladas de clavo en las Islas de las Especias. En Inglaterra esto valía 10 millones de libras esterlinas en dinero de hoy.

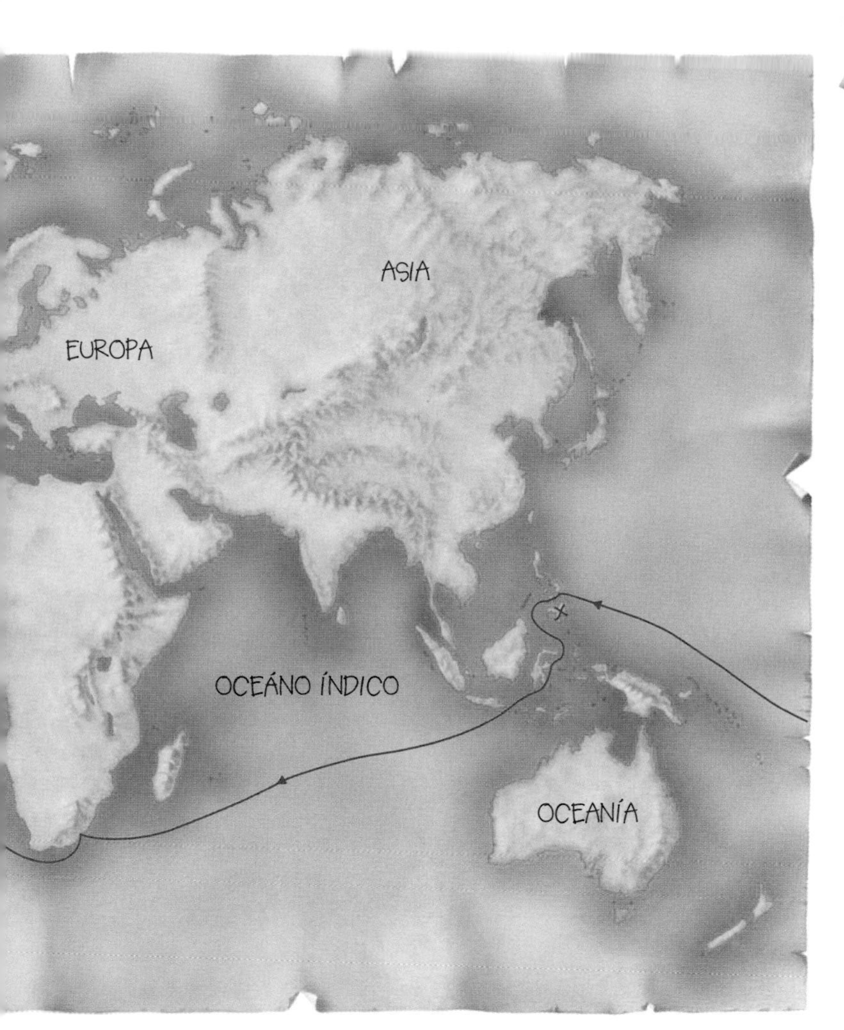

39 Sólo uno de los barcos de Magallanes logró regresar a España.

Recogió un cargamento de especias en Indonesia y navegó hacia España. Magallanes llevaba consigo más de 200 tripulantes, pero sólo regresaron menos de 20. Fueron los primeros en circunnavegar el mundo.

40 Pasaron otros 55 años antes de que alguien más volviera a navegar alrededor del mundo.

En 1577, la reina Isabel I pidió a un corsario (un tipo de pirata), llamado Francis Drake, que intentara un viaje alrededor del mundo. Éste hizo dinero en el trayecto robando barcos españoles (¡la reina le dio permiso de hacerlo!). Al término de un viaje de tres años, Drake regresó a Inglaterra. La reina Isabel le entregó una enorme recompensa de 10 000 libras.

38 Magallanes consiguió cruzar el Pacífico, pero entonces sobrevino el desastre.

Después de desembarcar en las Filipinas en 1521, Magallanes entabló amistad con el rey de la isla de Cebú. El rey estaba entonces en guerra y quiso que Magallanes lo ayudara. Éste y algunos de sus hombres participaron en una batalla, y Magallanes fue muerto. El resto de la tripulación tomó dos de los barcos y escapó.

CUESTIONARIO

¿Cuál o cuáles de estos alimentos podrían haber salvado a los hombres de Magallanes del escorbuto?

a. Jugo de limón.
b. Hamburguesa en un pan.
c. Vaso de leche.
d. Col.
e. Pastel de chocolate.

Respuestas:
a y d.

El capitán Cook

41 El capitán James Cook pasó sólo 11 años explorando, de 1768 a 1779. No obstante, fue uno de los más grandes exploradores. Cook navegó por todo el océano Pacífico y elaboró mapas muy valiosos para los marinos. También navegó alrededor del mundo, rumbo al norte hacia el Ártico y al sur hasta el Antártico.

▼ Además de estudiar los planetas, Cook se hizo acompañar de expertos en fauna y flora en sus exploraciones. Éstos recogieron plantas desconocidas en Europa, hicieron dibujos y tomaron apuntes acerca de ellas.

Compás de puntas

Portaplumas

42 En 1768, la armada británica pidió a Cook emprender una misión importante. Debía ir a la isla de Tahití en el Pacífico para hacer mediciones y observaciones del planeta Venus a su paso frente al Sol. Después, Cook partió en busca de un nuevo continente muy al sur, pero no lo pudo hallar. En lugar de ello exploró Australia, Nueva Zelanda y las islas del Pacífico, y elaboró nuevos mapas.

Regla paralela

Compás de proporción

◄ Cook necesitaba instrumentos de dibujo de alta calidad para hacer sus mediciones al elaborar mapas.

43 Muchos seguían pensando que había un continente desconocido en el sur. Por tanto, en 1772, enviaron nuevamente a Cook a buscarlo. Éste llegó más al sur de lo que nadie había estado antes, hasta que llegó al mar congelado. Navegó por la Antártida, pero nunca se acercó lo suficiente a tierra para verla. Esta masa de tierra no fue explorada sino hasta 1820, casi 50 años más tarde.

James Cook nació en una familia muy pobre y se hizo marinero después de escapar de casa y hacerse a la mar en busca de fortuna.

44 En su tercer viaje, Cook se dirigió hacia el norte. Quería ver si hallaba una ruta marítima entre el océano Pacífico y el océano Atlántico cruzando por el norte de Canadá. Después de buscarla, en 1778, fue a pasar el invierno a Hawai. Al principio, ¡los hawaianos creyeron que Cook era un dios llamado Lono!

¡INCREÍBLE!

El capitán Cook fue el primer europeo en llegar a Hawai, en 1778. Llamó Islas Sándwich al archipiélago.

45 Cook sabía orientarse mejor que ningún otro marino. Un inventor de nombre John Harrison ideó un reloj (llamado cronómetro) capaz de medir el tiempo con precisión, incluso en el mar. Antes, los relojes tenían péndulo, por lo que no funcionaban en los barcos. Desde el momento en que el Sol se ponía, Cook podía averiguar con exactitud cuán lejos estaba del este o del oeste.

▼ Cronómetro antiguo, inventado por John Harrison.

A través de Estados Unidos

46 Estados Unidos se creó como país en 1776, hace menos de 250 años. En esa época, partes enormes del territorio actual del país aún no habían sido exploradas. En 1803, el tercer presidente de EUA, Thomas Jefferson, pidió a Meriwether Lewis que fuera a explorar. Lewis pidió a su amigo William Clark que lo acompañara.

▼ Cuando el Missouri se volvió demasiado angosto para su barca, el equipo de Lewis y Clark utilizó canoas. Guías indígenas los ayudaron a remar y a encontrar el camino.

47 Lewis y Clark proyectaban cruzar todo Estados Unidos hasta el océano Pacífico. Construyeron una barca especial para navegar en ríos. Ésta podía ser impulsada por remos, empujando con un palo o remolcándola con una cuerda. También tenía velas para aprovechar el viento. En mayo de 1804 partió de la ciudad de St. Louis, navegando a lo largo del río Missouri con una tripulación de cerca de 40 hombres.

48 En Dakota del Norte, Lewis y Clark hicieron una nueva amiga: Sacagawea. Era una indígena shoshona que se unió a la expedición como guía. Ayudó a Lewis y Clark a entablar amistad con los pueblos que encontraron durante el viaje. Sabía dónde hallar plantas para comer y cómo hacer herramientas. También salvó una pila de papeles valiosos que estuvieron a punto de caer al río.

▶ Se piensa que Sacagawea murió pocos años después de la expedición de Lewis y Clark, cuando apenas tenía 25 o 26 años.

¡Sacagawea llevó a su bebé recién nacido al viaje a través de lo que hoy es Estados Unidos!

49 **Durante el viaje, los osos asustaron a Lewis y Clark.** Cierto día, Lewis salió a cazar y un oso gris lo persiguió. Lewis intentó dispararle, pero no tenía balas. El oso lo persiguió hasta un río, pero Lewis tuvo suerte: el oso cambió de opinión y se alejó.

HAZ UN TÓTEM

Necesitas:

tijeras   un tubo de cartulina   papel
marcadores   pegamento

1. Corta tiras de papel de longitud suficiente para envolver el tubo.
2. Dibuja caras, monstruos y aves en las tiras y pégalas alrededor del tubo.
3. Haz unas alas de papel y pégalas por la parte de atrás del tubo.
4. Haz un pico recortando un triángulo, doblándolo por la mitad y pegándolo al frente del tubo.

50 **Al cruzar las montañas Rocosas, Lewis, Clark y sus hombres casi murieron de hambre.** No encontraron ningún búfalo o venado para cazar y alimentarse, por lo que tuvieron que comerse tres de sus caballos. Se salvaron sólo gracias a que se toparon con un grupo de indígenas nez percés que les dieron alimento.

51 **La tripulación remó en canoas a lo largo del río Columbia hasta el mar.** Llegaron al océano Pacífico en noviembre de 1805, en seguida dieron la vuelta e hicieron todo el camino de regreso a pie. Cuando llegaron a casa, Lewis y Clark eran héroes nacionales. El presidente les dio dinero y tierras.

▶ Lewis y Clark estuvieron a punto de extraviarse en las montañas Rocosas. Los lugareños que les indicaron el camino y les dieron alimento les salvaron la vida.

Exploración de África

52 Cuando los europeos comenzaron a explorar África, encontraron que podía ser peligrosa para ellos. En 1795, el médico escocés Mungo Park exploró el río Níger, en África occidental. En el camino, fue asaltado y hecho prisionero. Le quitaron toda la ropa, casi murió de sed y enfermó de fiebre. No obstante, regresó a África en 1805.

Mungo Park

▶ Livingstone hizo muchos de sus viajes en bote. En una ocasión, su embarcación chocó con un hipopótamo y volcó, lo que le ocasionó la pérdida de parte de su equipo.

¿VERDADERO O FALSO?

1. Las cataratas Victoria son un precipicio gigante.
2. Timbuctú está en el desierto del Sahara.
3. Henry Stanley encontró al Dr. Livingstone en Nueva York.
4. David Livingstone fue devorado por un león.

Respuestas:
1. FALSO. Son una enorme caída de agua. 2. VERDADERO.
3. FALSO. Lo halló en Tanzania, África. 4. FALSO. Un león lo atacó, pero escapó con un brazo herido.

53 El doctor David Livingstone es uno de los más reconocidos exploradores de África. En 1840 fue allí como misionero, con el propósito de enseñar a los nativos el cristianismo. Cruzó a pie, con su esposa y sus pequeños hijos, el polvoriento desierto del Kalahari y descubrió el lago Ngami. También fue herido gravemente por un león, a tal grado que nunca pudo volver a usar su brazo izquierdo.

Cuando murió el doctor Livingstone, su corazón fue sepultado en África y el resto de su cuerpo fue enviado de vuelta a Inglaterra.

54 El doctor Livingstone siguió explorando y fue el primer europeo en atravesar todo África. En el trayecto, descubrió una enorme y hermosa caída de agua en el río Zambeze. Los lugareños la llamaban Mosi Oa Tunga, que significa "el humo que truena". Livingstone le cambió el nombre por el de cataratas Victoria, en honor de la reina de Gran Bretaña.

55 En 1869 se perdió el rastro del doctor Livingstone. Había partido a explorar África oriental y nadie tenía noticias de él. Un escritor estadounidense, Henry Stanley, fue a buscarlo. Lo encontró en el pueblo de Ujiji, en Tanzania. Lo saludó con las palabras "El doctor Livingstone, supongo."

▼ A Henry Stanley le tomó ocho meses encontrar a Livingstone en África.

▲ En su parte central, las cataratas Victoria tienen 108 metros de altura.

56 El explorador francés René Caillié fue a explorar disfrazado. Quería ver la antigua ciudad de Timbuctú, en el desierto del Sahara, pero sólo se permitía la entrada a musulmanes. Caillié se disfrazó de mercader árabe y se coló a escondidas en la ciudad, en 1828. Fue el primer europeo en ir allí y regresar vivo.

La fuente del Nilo

▲ Speke era un excelente naturalista. A dondequiera que iba, tomaba apuntes y hacía dibujos de lo que veía.

57 En el mundo antiguo, el Nilo era un río importante. Suministraba agua a los egipcios, y los griegos y los romanos sabían de su existencia. Exploradores de la antigüedad intentaron navegar río arriba para saber de dónde venía el Nilo, pero una y otra vez se quedaron atascados. Un egipcio llamado Ptolomeo dibujó un mapa del río, en el que muestra cómo fluye desde un gran lago en medio de África.

▲ Richard Burton era un oficial del ejército inglés que aprendió a hablar 29 idiomas.

58 En el siglo XIX, los exploradores todavía querían hallar el comienzo o "fuente" del Nilo. En 1856, dos exploradores británicos llamados Richard Burton y John Speke partieron en su busca. Marcharon a través de África buscando el gran lago. Pronto, ambos enfermaron de paludismo a causa de las picaduras de los mosquitos. Burton enfermó a tal grado, que se vio obligado a detenerse para reposar.

▶ El Nilo es el río más largo del mundo. Fluye a todo lo largo de las tierras desiertas de Egipto.

Burton y Speke sobrevivieron al paludismo, que es la enfermedad más mortífera del mundo. Ha matado a más personas que todas las guerras de la historia juntas.

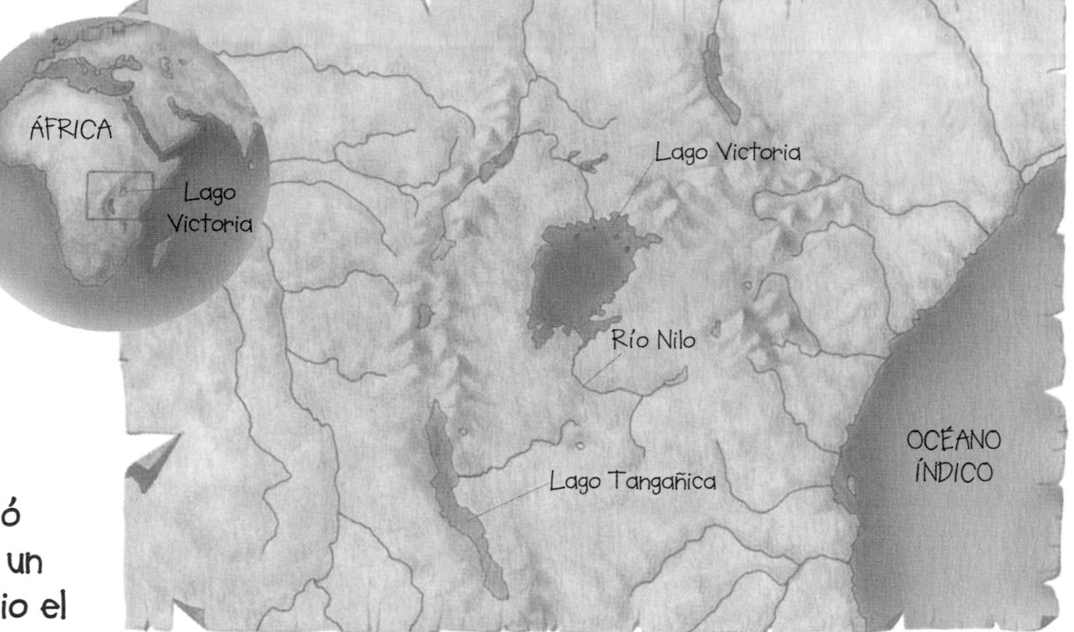

▶ Al final, resultó que Ptolomeo tenía razón. El Nilo fluye, en efecto, desde un gran lago en medio de África: el lago Victoria.

59 Speke siguió adelante y descubrió un enorme lago, al cual dio el nombre de lago Victoria. Estaba seguro de que este lago era el origen del Nilo. Regresó a Gran Bretaña y contó a todos que había hallado la fuente. Burton estaba furioso. Speke regresó a África a explorar el lago, y encontró el lugar donde el Nilo nace.

60 Mientras tanto, otros dos exploradores navegaban por el Nilo río arriba para encontrar la fuente. Eran un matrimonio: Samuel y Florence White Baker. En 1864 habían subido tanto por el Nilo que se encontraron con Speke, quien venía en sentido opuesto. El misterio de dónde iniciaba el Nilo había sido resuelto.

Exploración de Australia

► El digeridu es un instrumento musical tradicional hecho con un tronco de árbol hueco. Es parte importante de la cultura histórica de los aborígenes.

61 Los seres humanos se establecieron en Australia hace más de 50 000 años. Los aborígenes han vivido ahí desde entonces. Hace 400 años, en la primera mitad del siglo XVII, navegantes de Europa comenzaron a explorar Australia. Gran Bretaña reclamó ese territorio como suyo y muchos británicos se fueron a vivir ahí.

62 Los colonos europeos estaban seguros de que había un enorme mar en medio de Australia. En 1844, un soldado llamado Charles Sturt fue en su busca. Encontró que el centro de Australia era un desierto caluroso y seco. Sus hombres padecieron quemaduras de sol y escorbuto, y sus uñas se hicieron polvo. Sturt casi quedó ciego, pero comprobó que el mítico mar no existía.

▼ Burke y Wills llevaron cerca de 40 caballos y camellos a su expedición. Los camellos provenían de la India y estaban muy bien adaptados al clima seco de Australia.

63 El centro de Australia era tan caliente que era muy difícil atravesarlo. No obstante, el gobierno quería tender un cable de telégrafo a través de Australia para enviar mensajes a Europa. Así que organizó un concurso: el primer explorador en cruzar desde el sur de Australia hasta el norte, y en hallar una ruta para el cable, ganaría un premio de 2000 libras. Pero tenía que regresar vivo.

¡Se importaron camellos desde la India para la expedición de Burke y Wills!

64 El irlandés Robert Burke decidió competir por el premio. Partió en 1860 con una caravana de caballos y camellos. Cuatro hombres -Burke, Wills y otros dos- consiguieron cruzar toda Australia. En el camino de regreso, uno de los hombres murió y se detuvieron a sepultarlo. El resto del grupo, que aguardaba su llegada, los dio por perdidos y emprendió el regreso a casa. Los tres sobrevivientes quedaron solos en el desierto, y Burke y Wills murieron de inanición. Sólo un hombre sobrevivió al ser rescatado por aborígenes.

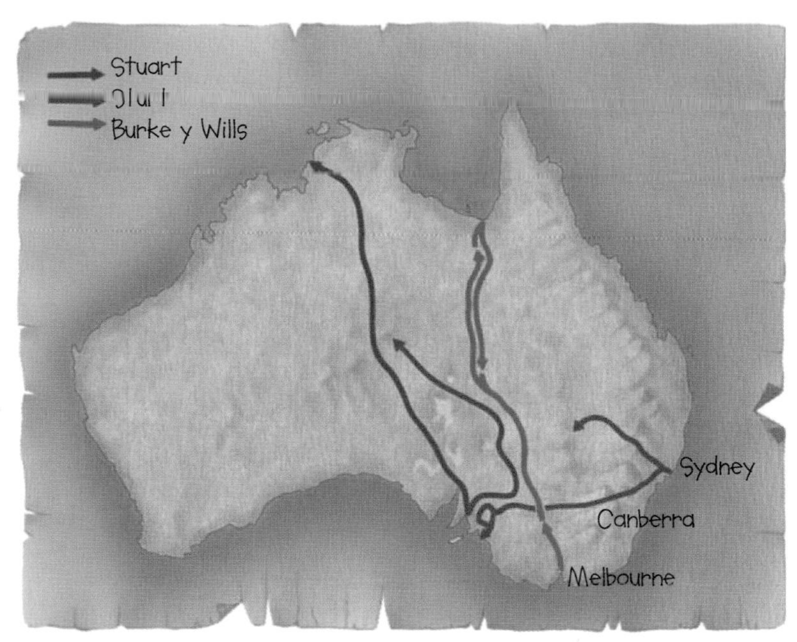

▲ Sólo la expedición de Stuart fue un éxito completo. Su viaje hizo accesible el interior de Australia para la colonización y la agricultura.

65 Mientras tanto, otro explorador competía con Burke por el premio. John McDouall Stuart tomó otra ruta para cruzar Australia, más al oeste. A diferencia de Burke, Stuart regresó con vida, aunque poco faltó para que muriera. Cuando llegó a Adelaida a reclamar su premio, estaba tan enfermo que fue preciso llevarlo en camilla.

CUESTIONARIO

Los aborígenes de Australia podían sobrevivir en el interior porque sabían qué alimentos comer y dónde hallarlos. ¿Cuáles de estos alimentos podrían haber comido los hombres de Burke?

1. Nuez bunya.
2. Larva de polilla australiana.
3. Algas marinas.
4. Huevos de avestruz.
5. Miel silvestre.

Respuestas:
1, 2 y 5. Huevos de avestruz no, porque sólo hay avestruces en África. Tampoco algas marinas, porque sólo se encuentran en el mar.

Aventuras en el Ártico

66 El Ártico es la tierra y el mar que rodean al Polo Norte. Los exploradores fueron ahí por primera vez en busca del Paso del Noroeste: una ruta marítima para ir del océano Atlántico al océano Pacífico. Pasaron 400 años tratando de hallarlo y muchos exploradores murieron de frío o se ahogaron en el océano Ártico.

67 El explorador noruego Roald Amundsen fue el primero en navegar por el Paso del Noroeste. Amundsen utilizó un pequeño barco de pesca que podía navegar con más facilidad en canales poco profundos y entre trozos de hielo flotante. Con todo, el viaje le tomó tres años: de 1903 a 1906. Amundsen aprendió mucho de los pueblos de los lugares por donde pasaba sobre cómo sobrevivir en el frío.

68 Había una parte del Ártico donde nadie había estado: el Polo Norte. Otro explorador noruego, Fridtjof Nansen, construyó un barco llamado *Fram*, construido de modo que pudiera quedar atascado en el hielo sin sufrir daños. El hielo, al moverse, llevó al *Fram* más cerca del Polo. Faltó poco para que Nansen alcanzara ese punto en 1895, pero no lo logró.

Después de que Nansen concluyó su viaje al Polo Norte en el *Fram*, Amundsen utilizó el mismo barco para ir al Polo Sur.

69 Después, un estadounidense llamado Robert Peary y su ayudante, Matthew Henson, partieron hacia el Polo Norte. Peary siempre había querido ser el primero en llegar ahí. Después de dos intentos fallidos, usó trineos de perros y guías inuits para alcanzar el Polo en 1909.

70 Cuando Peary anunció que había estado en el Polo, le aguardaba una sorpresa. Otro explorador, Frederick Cook, que había sido amigo de Peary, ¡dijo que había llegado ahí primero! Los dos hombres discutieron y quedó al descubierto que Cook había mentido respecto a una expedición anterior. Después de eso, nadie creyó que había estado en el Polo Norte.

▲ Peary y Henson utilizaron ropas tradicionales de piel de foca en su viaje y pagaron a inuits de la localidad por hacerles su vestimenta y equipo.

¡INCREÍBLE!

Algunos expertos piensan que Peary no alcanzó en realidad el Polo Norte. De ser así, la primera persona en llegar ahí fue Wally Herbert, quien caminó hasta allá en 1969.

◀ El barco de Fridtjof Nansen, el *Fram*, tenía una forma especial para que, al ser comprimido por el hielo, se alzara en vez de ser aplastado. Esto permitía que el barco se desplazara sin peligro por el hielo, camino al Polo Norte.

Aventuras en el Antártico

71 La Antártida fue explorada hace menos de 200 años. Este grande y montañoso continente está en el extremo sur de la Tierra. Es aún más frío que el Ártico, y muy peligroso. A principios del siglo XX, exploradores como Robert Scott y Ernest Shackleton intentaron llegar al Polo Sur y fracasaron. En 1909, Shackleton estuvo a 155 kilómetros de ese punto, pero se vio forzado a regresar.

72 En 1910, el explorador británico Robert Scott decidió partir de nuevo hacia el Polo Sur. Llevó trineos de motor y ponis para transportar sus provisiones. Decidió que cuando sus hombres llegaran cerca del Polo, tirarían de sus propios trineos. También quería recolectar muestras de rocas de la Antártida para estudiarlas.

73 Mientras tanto, Roald Amundsen iba en camino al Polo Norte. Pero cuando supo que Robert Peary ya lo había alcanzado, decidió competir con Scott por el Polo Sur. Amundsen utilizó métodos diferentes a los de Scott: trineos tirados por perros esquimales transportaban las provisiones.

▶ El equipo de Amundsen utilizó trineos ligeros de perros. Si un perro moría o se debilitaba demasiado para continuar, era dado como alimento a los otros perros. Esto redujo la cantidad de comida que los hombres debían llevar.

Cuando Amundsen partió rumbo al Polo Sur, ya había hecho varios viajes para dejar reservas de alimentos en diversas etapas de la ruta.

74 **En 1911, tanto Scott como Amundsen llegaron a la Antártida y partieron rumbo al Polo Sur.** Amundsen fue el primero en partir y llegó rápidamente con sus perros. Los trineos de motor de Scott se descompusieron y sus ponis murieron. Su equipo caminó con dificultad hasta el Polo, sólo para encontrarse con que Amundsen había llegado primero. Durante el regreso, los hombres de Scott quedaron atascados en una tormenta de nieve. Se les terminó el alimento y murieron de frío y hambre.

▲ Cuando los hombres de Scott alcanzaron el Polo Sur, tomaron fotografías unos de otros, pero los rostros mostraban su disgusto por no haber sido los primeros en llegar.

75 **Shackleton nunca llegó al Polo Sur, pero tuvo una aventura muy emocionante en la Antártida.** En 1914, quería cruzar la Antártida a pie. Pero antes de comenzar, su barco, el *Endurance,* fue aplastado por el hielo. La tripulación quedó en el océano congelado con sólo tres botes salvavidas. Shackleton dejó a sus hombres en una isla en tanto iba en un bote muy pequeño a buscar ayuda. Tuvo que cruzar un océano tormentoso y escalar montañas heladas antes de encontrar una aldea. Todos sus hombres fueron rescatados y regresaron a salvo.

Búsquedas científicas

76 Muchos de los grandes exploradores fueron científicos. Algunos fueron a explorar en busca de rocas y minerales, o para estudiar montañas o mares. Otros buscaban nuevas especies de plantas y animales. Hoy en día, los científicos exploran selvas, desiertos y océanos para hallar cosas que nadie ha visto antes.

▲ Darwin estudió los numerosos tipos de pinzones de las islas Galápagos.

77 De 1831 a 1836, Charles Darwin emprendió un viaje alrededor del mundo en un barco llamado *Beagle*. Como naturalista (experto en la naturaleza) del barco, el trabajo de Darwin consistía en recolectar especies nuevas. Encontró gran diversidad de aves, plantas, lagartos, insectos y otros seres vivos. También halló muchos fósiles extraños. De regreso en Inglaterra, Darwin escribió importantes libros sobre el mundo natural.

▲ Darwin tomó apuntes sobre sus hallazgos. Creía que las plantas y los animales cambiaban para adaptarse a su entorno.

▼ Los caballos que hoy conocemos se desarrollaron a partir de animales más pequeños parecidos a caballos, a lo largo de unos 55 millones de años. Darwin llamó "evolución" a este proceso de cambio gradual.

Eohippus *Mesohippus* *Parahippus* *Merychippus* *Pliohippus* *Equus*

La corriente marina que recorre la costa oeste de Sudamérica fue nombrada en honor de Von Humboldt.

78 Los animales favoritos de Henry Bates eran los insectos.

En 1848, Bates fue a la selva amazónica a estudiar mariposas, escarabajos y otros insectos. Encontró más de 8000 especies desconocidas hasta entonces. Además, descubrió que ciertos animales inofensivos se asemejan a animales ponzoñosos para mantenerse a salvo. Hoy en día, a esto se le llama "mimetismo batesiano" (mimetismo significa copiar).

Avispón

◀ Esta abejilla es un ejemplo de "mimetismo batesiano". Es inofensiva, pero remeda al avispón, que tiene un doloroso aguijón. Esto ayuda a ahuyentar a sus depredadores.

Abejilla

¿VERDADERO O FALSO?

1. Henry Bates descubrió más de 8000 especies de insectos.
2. Aimé Bonpland era un experto en medicinas locales.
3. El barco de Darwin se llamaba Basset.
4. Mary Kingsley cayó en una trampa para animales.

Respuestas:
1.VERDADERO. 2. FALSO. Aimé era un experto en plantas.
3. FALSO. El barco de Darwin se llamaba *Beagle*.
4.VERDADERO.

79 El científico alemán Alexander von Humboldt quería entender todo lo que había en el mundo.

Él y su amigo, el experto francés en plantas Aimé Bonpland, exploraron América del Sur durante cinco años, entre 1799 y 1804. Estudiaron toda clase de cosas: plantas venenosas, medicinas locales, corrientes oceánicas, rocas, ríos, montañas y las estrellas por la noche. Más tarde, Humboldt escribió un libro, *Kosmos*, sobre la naturaleza.

▶ Von Humboldt estudió extensamente los paisajes. La fría corriente marina que sube a lo largo de la costa occidental de América del Sur lleva su nombre en su honor.

80 A Mary Kingsley le fascinaba explorar los ríos de África.

Buscó nuevas especies –sobre todo peces de río– y estudió cómo vivían los habitantes de la selva tropical. Durante sus viajes, Kingsley cayó en una trampa para animales con palos puntiagudos, quedó atrapada en un tornado, arrinconada por un furioso hipopótamo, y un cocodrilo trepó a su canoa.

Aventuras arqueológicas

▲ Los nabateos construyeron muchos templos hermosos en la pequeña llanura de Petra.

81 Antiguos palacios, ciudades y tumbas en ruinas pueden permanecer ocultos durante siglos. Algunos quedaron enterrados o cubiertos por la arena del desierto, otros están en lugares muy lejanos, a donde ya nadie va. Cuando un explorador encuentra una ruina antigua, ésta puede revelar muchos secretos respecto a cómo vivía la gente hace mucho tiempo. Averiguar cosas a partir de ruinas antiguas se llama arqueología.

82 El explorador suizo Johann Ludwig Burckardt quería explorar África. Primero fue a Oriente Medio a aprender árabe para su viaje por ese continente. En 1812, en lo que hoy es Jordania, descubrió una asombrosa ciudad en ruinas, tallada en roca roja y amarilla. Era Petra, la capital de los nabateos, construida en el siglo II. Burckardt fue el primer europeo en visitarla.

Petra ha sido llamada a menudo la ciudad roja debido a sus edificios de piedra roja y los acantilados rojos que la rodean.

◀ La esposa de Schliemann, Sofía, con algunas de las joyas halladas en las ruinas descubiertas por su esposo.

83 La ciudad de Troya, sobre la que puedes leer en los mitos griegos, sí existió realmente.

En 1870, el arqueólogo alemán Heinrich Schliemann viajó a Turquía para tratar de encontrarla. Descubrió las ruinas de nueve ciudades, una de las cuales pensó que era Troya. Encontró que había sido destruida y reconstruida muchas veces. Schliemann también desenterró, en las ruinas, gran cantidad de hermosas joyas de oro.

84 En 1911, el explorador estadounidense Hiram Bingham encontró una ciudad perdida en lo alto de una montaña de Perú.

Los lugareños la conocían y la llamaban Machu Picchu, que significa "montaña antigua", pero el resto del mundo no sabía de su existencia. Bingham escribió un libro sobre su descubrimiento. Hoy en día, el sitio es visitado por un millón de turistas cada año.

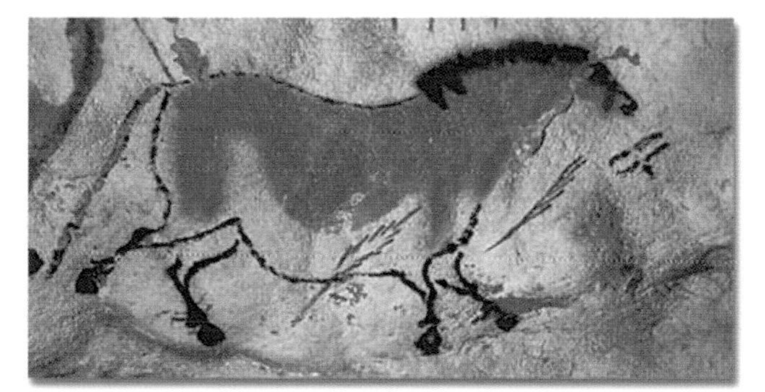

▲ Las pinturas rupestres de Lascaux representan animales como bisontes, venados y caballos.

HAZ UNA PINTURA RUPESTRE

Necesitas:

papel (en papel beige áspero se ve mejor)
pintura roja y negra
ramitas para pintar

Para que tu pintura parezca auténtico arte rupestre de Lascaux, utiliza una ramita mojada en pintura para dibujar figuras de animales como vacas, venados y gatos. Prueba también hacer manchas con las puntas de los dedos.

85 Cuatro adolescentes que exploraban una caverna se toparon con algunas de las pinturas rupestres más importantes del mundo.

La caverna estaba en Lascaux, Francia, y los cuatro jóvenes la encontraron en 1940, cuando un árbol que cayó dejó un agujero en el suelo. Adentro había pasadizos que llevaban a varias cavidades. Los muros estaban cubiertos con pinturas de animales y seres humanos que vivieron hace 17 000 años.

Las montañas más altas

86 Las montañas demandan un gran esfuerzo de los exploradores. Además de ser muy empinadas, en su cumbre son muy ventosas, frías y resbaladizas debido al hielo. Es difícil respirar, porque cuando se está a gran altura no hay mucho oxígeno en el aire. A principios del siglo XX, nadie había escalado aún la montaña más alta del mundo, el monte Everest, que tiene 8850 metros de altura.

▼ Un moderno escalador del Everest. Los primeros exploradores no contaban con el equipo de alta tecnología disponible hoy en día, sólo usaban botas gruesas y chamarras de lana.

87 En 1924, dos alpinistas británicos intentaron alcanzar la cumbre del Everest. Eran George Mallory y Andrew Irvine. Su equipo de apoyo los vio partir hacia la cima, pero pronto quedaron ocultos por las nubes. Mallory e Irvine nunca regresaron. Hasta el día de hoy nadie sabe si llegaron a la cumbre o murieron antes.

¡INCREÍBLE!
Algunos alpinistas creen que el fantasma de Irvine ronda en el monte Everest. Se dice que este amable fantasma ayuda a los alpinistas.

Hoy en día, en el Everest hay basura y viejos tanques de oxígeno que han dejado los alpinistas.

88 **En la década de 1950, muchos países intentaban enviar alpinistas a la cima del Everest.** En 1952, una expedición suiza casi lo consiguió. En 1953, un equipo británico emprendió el ascenso. Dos alpinistas, Evans y Bourdillon, llegaron a 90 metros de la cumbre, pero tuvieron que regresar cuando se rompió un tanque de oxígeno. Después lo intentaron otros dos alpinistas: Edmund Hillary y Tenzing Norgay.

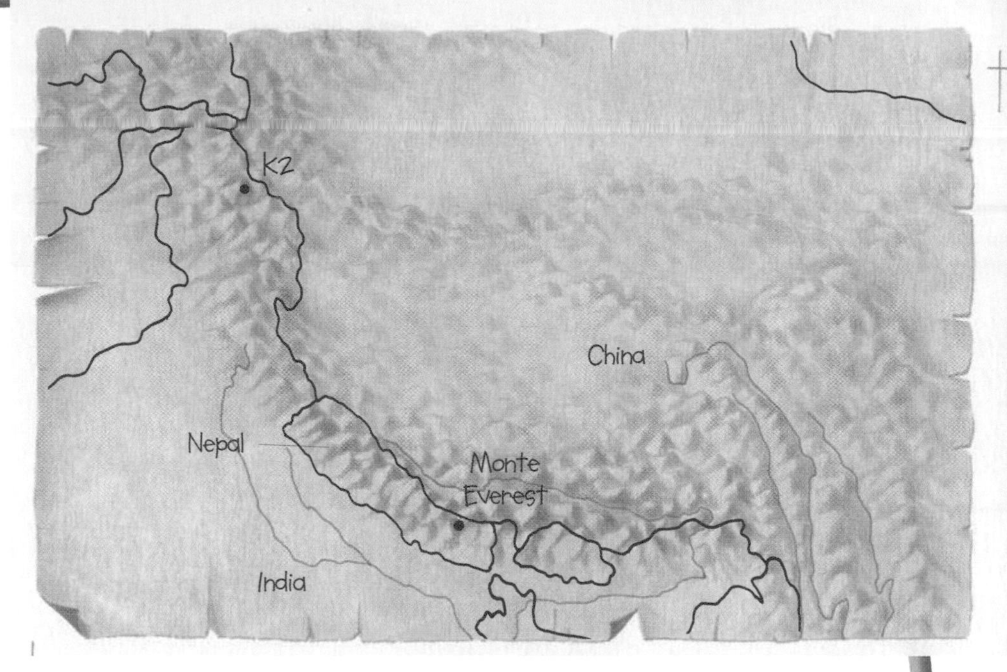

▲ Hillary y Norgay emprendieron su ascenso al Everest desde el lado sur, que había sido considerado imposible de escalar.

89 **A las 11:30 de la mañana del 28 de mayo de 1953, Tenzing y Hillary pisaron la cima del monte Everest.** Se abrazaron y se tomaron fotografías. No podían quedarse mucho tiempo pues debían regresar al campamento antes que se terminara el oxígeno. Hillary y Tenzing regresaron a salvo, pero muchos han muerto al tratar de descender del monte Everest después de alcanzar la cima.

90 **Todavía quedaba una imponente montaña por escalar.** K2, la segunda montaña más alta del mundo, es aún más peligrosa que el Everest. La gente había intentado escalarla desde 1902 y muchos murieron. Por fin, en 1954 un equipo italiano lo consiguió. Lino Lacedelli y Achille Compagnoni fueron elegidos para subir a la cima. Su oxígeno se terminó, pero siguieron adelante y alcanzaron la cumbre.

Bajo el mar

91

En 1872, un barco partió a explorar un nuevo mundo: el fondo del mar. Pero el *HMS Challenger* no era un submarino. Midió el lecho marino con cuerdas para averiguar la profundidad del océano. En su viaje alrededor del mundo, la tripulación del *Challenger* encontró además muchas especies nuevas de criaturas marinas.

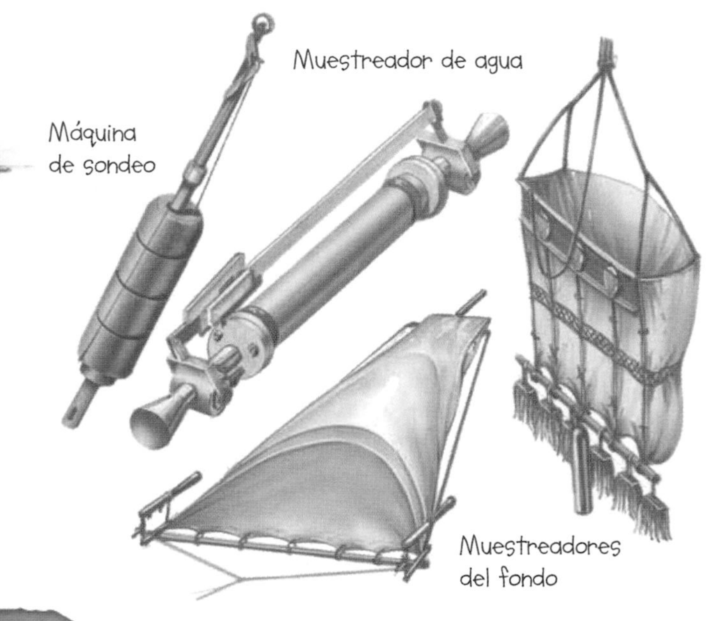

▲ El *HMS Challenger* y parte del equipo que su tripulación utilizó para medir la forma y la profundidad del lecho marino de todas partes del mundo.

¿VERDADERO O FALSO?

1. El *HMS Challenger* era un submarino.
2. William Beebe era un especialista en flora y fauna.
3. Beebe y Barton se sumergieron en el océano Índico.
4. Los científicos creen que existen muchas criaturas marinas aún por descubrir.

Respuestas:
1. FALSO. Era un barco. 2. CIERTO. 3. FALSO. Beebe y Barton se sumergieron en el océano Atlántico. 4. CIERTO.

92

Muchos querían explorar el lecho marino por su cuenta. En 1928, un ingeniero, Otis Barton, y un profesor de flora y fauna, William Beebe, construyeron la batisfera, una bola redonda de acero que podían hacer descender bajo el mar. En 1934, Beebe y Barton se metieron en ella y se sumergieron 923 metros en el océano Atlántico.

Auguste Piccard era un inventor de globos antes de proyectar el Trieste.

93 Otro inventor, Auguste Piccard, creó un navío llamado batiscafo. No era remolcado desde un barco, sino que podía moverse por sí solo. En 1960, un batiscafo llamado *Trieste* llevó a dos pasajeros a la parte más profunda del mar, la fosa Challenger, en el océano Pacífico. Tiene más de 10 900 metros de profundidad.

◀ Respiraderos hidrotermales con forma de chimenea, rodeados de gusanos tubulares gigantes, que alcanzan más de un metro de largo.

▲ Los dos pasajeros del *Trieste* iban agachados dentro de la parte redonda que cuelga debajo de la sección principal.

94 En 1977, los científicos descubrieron unas extrañas chimeneas en el lecho marino que llamaron respiraderos hidrotermales. Por ellas brotaba agua caliente del interior de la Tierra. El agua contenía minerales que servían de alimento a seres vivos. Alrededor de los respiraderos había extrañas criaturas marinas que nadie había visto antes, como gusanos tubulares y almejas gigantes.

95 Los mares son tan grandes, que aún se desconoce parte del mundo submarino. Puede haber cavernas marinas y objetos bajo el agua que no hemos encontrado. Los científicos piensan que quizá haya muchas criaturas marinas desconocidas, como calamares gigantes, tiburones y ballenas, todavía por descubrir.

Hacia el espacio

96 Hay todavía un lugar que los seres humanos han explorado muy poco; se trata del espacio. La exploración del espacio comenzó en octubre de 1957, cuando fue lanzado el *Sputnik I,* un vehículo espacial ruso. Un cohete puso en órbita el *Sputnik* alrededor de la Tierra. Pero este primer vehículo espacial no llevaba pasajeros.

▼Laika, la perra espacial, era cruza de perro esquimal.

97 El primer astronauta de la historia fue al espacio en ese mismo año. No era un ser humano, sino una perra llamada Laika. Fue a bordo de otro vehículo espacial ruso, el *Sputnik II,* en noviembre de 1957. Lamentablemente, Laika murió durante el viaje, pero abrió el camino para la exploración humana del espacio.

▼Yuri Gagarin en su traje espacial, poco antes de dejar el planeta para ser el primer ser humano en el espacio.

98 En 1961, Yuri Gagarin se convirtió en el primer ser humano en visitar el espacio. Su vehículo espacial se llamaba *Vostok I.* Después de entrar en órbita, Gagarin dio una vuelta alrededor de la Tierra, la cual tomó casi dos horas. Después, el *Vostok I* regresó a la Tierra y aterrizó a salvo. El viaje de Gagarin probó que las personas podían ir al espacio.

Yuri Gagarin viajó en el *Vostok 1*, que daba vueltas alrededor de la Tierra a una velocidad de 27 400 km por hora.

99 Durante cientos de años, la gente soñó con ir a la Luna.

Finalmente, en 1969, seres humanos fueron a ella a bordo de un vehículo espacial estadounidense llamado *Apolo 11.* La primera persona en pisar la superficie lunar fue el astronauta Neil Armstrong, seguido de Buzz Aldrin. Ambos exploraron la Luna durante dos horas y recogieron rocas. Después volaron a salvo de regreso a la Tierra.

◄ Cápsula principal y unidad de alunizaje del vehículo espacial *Apolo 11.*

100 Hasta ahora, ningún ser humano ha visitado otro planeta.

Pero hemos enviado sondas espaciales, sin nadie a bordo, a millones de kilómetros de distancia para explorar los planetas y otras partes del espacio. La sonda espacial *Voyager I,* lanzada en 1977, todavía está viajando. Ahora está a más de diez mil millones de kilómetros: lo más lejos que los seres humanos han explorado jamás.

▲ La sonda espacial no tripulada *Voyager 1.*

¡INCREÍBLE!

Desde el viaje de Laika en 1957, monos, un gato, ranas y arañas han viajado al espacio.

Índice